KB122671

# 어쩌면 당신의 이야기 2022

단 편 모 음 집 1

# INDEX

우리 모두는 누군가의 첫사랑이다.....7
WRITER'S NOTE ....................24

어드레 감디?....................................33
WRITER'S NOTE ....................50

맞은편 어딘가....................................59
WRITER'S NOTE ....................94

어쩌면,
당신의
이야기가
될 수도...

스페인어문학과를 나와 뮤지컬 덕후에서 진짜 뮤지컬 배우로 데뷔를 하고 계속 배우로서 그리고 번역가로서 프로 *N* 잡러의 삶을 살고 있습니다. 노래, 춤, 연기, 언어, 번역 여러 가지 하다 보니 자연스럽게 세계관이 넓어졌고 보유한 재주도 많아졌습니다.

나는 이것도 되고 저것도 된다고 믿었고 더 넓게 더 많은 일을 하고 싶었는데 체력도 시간도 한정적이고 지나친 다양함은 때때로 보는 이에 따라 잘하기는 하는데 이도 저도 아닌 맹탕으로 보였는지  일이 썩 잘 풀리지는 않았습니다.

하지만 그 사이에 정말 많은 군상을 마주쳤고 나는 단 한 번도 피하지 않고 좋은 일도 나쁜 일도 받아들였습니다. 그리고 어느 순간, 이 책도 쓰고 있습니다.

이 책은 이것도 되고 저것도 될 수 있도록 멀티 콘텐츠화를 목적으로 내가 가장 잘 살릴 수 있는 나의 스타일을 담아 펴냅니다.

**그리고 어쩌면,**
**나만의 이야기만은 아닐지도....**

우리
모두는
누군가의
첫사랑이다

우리
모두는
누군가의
첫사랑이다

## 등장인물

수정

상우

지수

준호

*****

5월에서 6월로 넘어가는 봄과 여름 사이 어느 주말. 어스름하게 해가 진 뒤 서늘한 바람이 불어오는 저녁시간. 어느덧 야외에서 매연을 같이 흡입하는 한이 있더라도 바깥 풍경도 즐기며 술 한 잔, 맛있는 요리 한 접시 하기 딱 좋은 초여름 날씨가 되었다.

오랜만에 만난 친구들끼리 야외 테라스에서 곱창을 먹으며 토요일 저녁 주말의 여유를 즐기고 있다. 봄 이벤트 및 상반기 일정이 마무리되는 가운데 바쁜 시즌을 겨우 넘기고 몇 달 만에 만난 네 친구들. 초등학교 5,6학년 때부터 서로 알고 지내던 친구들이다. 학교가 같거나 같은 성당을 다니면서 언제부터인지 정확히 기억나지 않지만 친한 사이가 되었고 중학교 고등학교도 인근 지역에서 다녔으며 지금까지 우정을 이어오고 있다.

수정은 몇 달 사이에 짧은 연애에 홍역을 치르고 이래저래 몸도 마음도 만신창이 된 상태. 날도 덥고 스트레스도 많았고 배도 고프고 맥주를 연거푸 쭉쭉 들이 마시다 네 사람 중 가장 먼저 취해 버린 듯하다. 취기가 오르자 점점 더 이야기가 고조되는데......

**수정** 야… 그런 시기가 있나 봐.
연달아 똥차가 지나가는 그런 시기…

**지수** 그래, 그런 때가 있어.
그래도 너 1년 넘게 만났다는 거 듣고
'오? 정수정이 웬일?' 싶었는데?

**수정** 사실 그 1년도 잘 사귄 거 아니야…
속상한 거 많았어. 사람이 연락이 잘 안돼.

내가 뭐 하지 말래? 어디 가지 말래?
걱정 안 하게 연락은 해야 할거 아냐……
맨날 자기 바쁜데 그래도 짬 내서 만나러
온다고 생색내고, 나는 안 바쁘냐?
아니, 짬 내서 만나려고 하는 게 연애지!!

**수정, 속사포로 뱉어 내다가 소리를 빽 한 번 지르더니 머리가 아픈지 이마를 짚는다.**

**상우** (자기 입에 검지 손가락 가져가면서)
쉿. 아무리 야외라지만 너 목소리 진짜 커.

**준호** (상우한테 슬쩍 말하면서)
정수정 술잔 치워.

**수정** 7년 동안 맘 고생해서 이번에는 애교 많고
자상한 남친 좀 만나려고 했다?
하... 그래... 나한테 애교 많으면 다른 여자
한테도 그랬겠지...
아니.. 똥차 가고 나면 벤츠 온다며.
벤츠는 아니더라도 소나타는 올 줄
알았는데...

**지수** (곱창 하나 우물우물 하면서)
실제로는 안 그렇더라고... 똥차가... 한 번
에 몰아서 오는 시기가 있어.

**준호** 거, 남친도 눈앞에 떡하니 있고 남사친도
있는데 똥차 어쩌고 그런 소리는 하지 맙시
다...
(지수가 눈치 한 번 준다)
거... 물론 우리는 정수정이 네 편이다.

**지수** (수정이 보면서)
그래도 썸만 타서 다행이지, 진짜 사귀었으
면 어쩔 뻔.
한 발까지 딱 올렸는데 알아서 하차
시켜주니 얼마나 좋아.

**수정** 사실 걔는 처음부터 어딘가 쎄하다 했어. 한참 연하인데 나이 차이도 많이 나는 나를 왜??

그럼 그렇지... 여러 사람 놓고 저울질하는 거였어... 역시 어린 노무 시키....
그런데 진짜 짜증 나는 건 그다음 썸남이야.... 그 오빠는 진짜 진짜 진짜 나빠.

**지수에게 동조해 달라는 눈치를 주는 수정, 지수는 옆자리 준호와 맞은편 상우 번갈아 보면서 자기는 이미 한 번 들어서 다시 재방이다 싶은 초연한 표정으로 천천히 고개를 끄덕이며 말한다.**

**지수** 이건 진짜 쌍놈이야.
여기서 부터가 진짜 본론이거든..
좀 길어질 거야.

**준호** 여기서 더 길어진다고?
(지수가 준호 허벅지를 한 대 퍽 때린다)
아.. 오케이.

**숨을 크게 한 번 들이키고 막힘없이 말하는 수정.**

**수정** 작년 연말쯤 알게 된 오빠인데 소셜 모임에서 만나서 친해졌거든. 서른 다 돼가지구 처음부터 친구로 친해지기도 쉽진 않잖아.

잘 통하는 거 같아서 내 연애 얘기를 막 했다? 자기도 3년 만난 여친, 헤어지고 만나고 반복하다가 드디어 진짜 헤어졌다고, 동병상련이라고...

*(급하게 말하다 숨 한번 쉬고...)*
어쩐지, 2 번 밖에 안 만났는데 계속 집에 데려가려고 하더라고...

**준호** 어허... 목적이 보이네......

**상우** *(미간을 살짝 찌푸리며)*
그래서, 2번 밖에 안 만났는데 집까지 갔어?

**지수** 꽃술이 문제지...
얘 꽃술 먹으면 확 올라오잖아.

**준호** 뭐가 확~ 올라온다는 건진 모르겠는데..
(지수 눈치 아주 빠르게 살짝 보고)
그래 뭐 암튼... 연애 상담하다가,
니 마음 약해진 걸 노린 놈한테 또 낚였다, 이거잖아?

**수정** 나 삼잰가 봐... 작년부터 되는 일 하나도 없어...
아우씨, 나 당분간 연애 쉴 거야!

**드디어 수정이의 이야기가 끝부분에 다다르자 지수가 어르신 말투로 적당한 조언을 하며 마무리 지으려고 한다.**

**지수** 그래, 잘 생각했어!
마음 정리를 깨끗하게 안 하니까 자꾸 이상한 것들이 꼬이는 거예요.
정리할 때 깔끔하게 정리해야 돼.

암! 요즘 말하는 미니멀리즘이 사물뿐 아니라 사람한테도 적용이 되는 거예요.
사람도 치울 때 확실하게 치워야 새 사람이 들어와.

**준호** 그래... 눈이 맑아지고 나서 다시 사람을 봐...
오늘은 일단 우리끼리 다 털고, 고생했고, 많이 먹고...

(정수정 앞자리 술병 보다가)
아니다, 많이 먹었다, 이미.

(남은 술 탈탈 털어먹는 수정을 보고 영화 <친구> 대사, 어설픈 경상도 사투리 흉내 내면서)
고마해라... 많이 뭇다 아이가...

*

상우나 준호도 회사에서 있었던 얘기를 조금씩 한다. 오랜 친구답게 이런저런 얘기 하면서 서서히 술자리가 마무리되어간다.

시간의 경과. 조명 잠깐 페이드아웃 되었다가 음악 소리 볼륨 업. 조명 다시 들어오면, 조도가 이전보다 많이 낮고 은은하게 들어와 있다.

어느덧 시간은 깊은 밤이 되었다. 주말이라 막차 시간에 너무 조급하지 않게 일어나기로 한다. 상우와 수정의 집이 두 정거장 정도 거리라서 상우가 수정을 데려다주기로 한다.

네 사람은 술자리에서 일어나 있고 뒤로 멀티(사장 또는 알바)가 상을 치우고 있다. 상우는 취한 수정을 데리고 대충 지수와 준호에게 인사하며 하수로 퇴장.

**지수** 박상우! 수정이 잘 챙기구!
니가 데려가니까 걱정 안 한다?

**준호** 됐어.
정수정 술 취한 거 하루 이틀 보나.

(갑자기 콧소리를 내며 애교 부리며)
짓츄~ (지수 애칭) 우리는 이제 집에 가서 2차 할까용? 자기?

**수정과 상우 가는 모습을 지켜보는 지수, 시선은 둘을 향한 상태에서 준호의 말을 받아친다.**

**지수** 2차는 너나 하세용~ 정수정 받아주다가 나도 좀 많이 마셨어. 가서 영화나 한편 보고 자자.

**준호, 지수의 팔짱을 끼고 다정하게 상수로 또는 상우와 수정이가 나간 반대 방향으로 나간다.**

**조명 푸른색으로 체인지.**

*

**하수에서 수정, 상우 걸어 나온다. 수정 집으로 이동하는 중. 별 탈 없이 무사히 버스를 타고 내린 것 같다.**

**버스를 타고 오면서 잠깐 눈을 붙였는지 수정 술이 좀 깼다. 부축 없이 걸을 수 있을 정도. 워낙 어릴 때부터 봐서 그런지 침묵이 어색하지 않다.**

**상우** *(침묵을 조심스레 깨며)*
거꾸로 해도 정수정.
이제 술 좀 깼냐?
차에서 토할까 봐 걱정했다.

**수정** 내가 또 그렇게 까지는 안 마시지.

**상우** 근데 꽂 술 먹고 두 번 만난 놈 집에는 가고? 진짜 큰일 나 너...

**수정** 야... 그놈이 나쁜 놈이지!
전 여친 연락 오니까 바로 쪼르르 돌아갔는데, 나한테 들킬 때까지 말 안하고 양다리 걸치려고 했다고.
내가 눈치가 빨라서 다행이지.

**상우** 눈치가 빠르다고? 니가?

**수정** 내가 말했잖아. 나 삼재라고.
지금 뭐가 이상한 거만 종류별로 꼬이는
뭐... 그런 시기야.
나 심란해 죽겠는데 시비 걸지 마.

**상우, 수정을 말없이 지그시 바라본다.**

**수정** (상우가 또 잔소리할까 봐 재빠르게)
아니야. 그래, 너 말 맞아.
나 요새 이상해.
남자 보는 눈도 없고 사람 보는 눈 왜 이렇게 바닥이야, 나?
아까 똥차가 어쩌고 했는데 결국 뭐 나도 똥차니까 비슷한 놈만 꼬이는 거 아니겠냐고.
내가 먼저 좋은 사람이 돼야지.

**상우** 너 좋은 사람이야.

**수정** 박상우, 내가 괜히 자괴감 느끼니까 미안해서 그러나 본데 나 지금 남자 때문에 정신 못 차리는 거 맞아.
지수랑 준호 말처럼 치울 건 치우고 맑은 눈으로 봐야지.....

**상우** 야…. 그 말이 아니라…

**수정이가 상우 얼굴을 똑바로 바라본다. 그리고 한 발자국 크게 상우에게 다가간다. 잠깐 흠칫 하긴 했지만 피하지 않고 수정이와 시선을 마주하는 상우.**

**수정** 야, 근데 너 아까 곱창집에서부터 왜 그러냐? 너도 뭐 고민 있어?
근데 내가 말 많이 해서 너 할 얘기 못 한 거지? 아 미안 미안….

아직 우리 집 도착하려면
(시간 확인하며) 5분 정도 남았어.
내가 입 다물고 있을게.
5분 동안 너 하고 싶은 말 해.

**상우, 살짝 미소 짓더니 뜸을 들이고 어떻게 운을 뗄지 고민한다.**

**상우** 술 취한 애 위로해 주려는 거 아니고.
너 똥차 아니라고. 너 좋은 사람이라고.

**수정, 왜 갑자기 이렇게 분위기를 잡는지는 모르겠지만 일단 입 다물기로 했으니 가만히 지켜본다.**

**상우** 안 그러면… 내가 뭐 한다고 10년이나 좋아했겠냐.

**수정** 뭐라고?

**상우** 아니…. 지금은 아니고…
하…. 지금은 아닌데…
(가벼운 실소가 터지고)
지금은 아닌데 지금 와서 말하는 것도 참 없어 보인다.

**수정** 어?

**상우도 어느 정도 취기가 올랐던 건지, 오늘 수정이의 토로를 듣고 오랜 기간 좋아했던 여사친의 이야기가 사뭇 신경 쓰였는지 마음의 한 구석을 털어놓는다.**

**상우** 내가 너 꽤 오래 좋아했었어.
초6 때 전학 온 첫날…

*(마치 어제 일처럼 떠오르는 듯)*
맨 뒤 창가 자리에… 전학생이야 오든 말든, MP3 듣고 창밖 구경하는 여자애가 눈에 들어왔어.
지금도 정수정 이름 떠올리면 생각나는 모습이 그거야.

**수정** 왜 여태까지 말 안 했어?

**상우** 아무것도 망치기 싫어서…….
한 번 정도는 눈치채 주지 않을까 싶어서.

**앞을 보고 걸으면서 얘기하다가 다시 수정을 지그시 바라본다.**

**상우** 너… 눈치 더럽게 없어, 바보야

**수정은 발이 땅에 뿌리내린 듯 멈춰 선 채, 왠지 모르게 눈시울도 붉어져 있다.**

**상우** 어린 시절 추억이 널 더 좋게 포장했을 수 도 있겠지.
근데, 니가 진짜 좋은 사람 아니었으면,
내가 그렇게 오랫동안 좋아하지 못했을 거야.
그러니까, 나쁜 남자 그만 만나.

**어느덧 수정의 집 앞에 도착한 두 사람.**

**상우** 다 왔네. 5분 끝. 나 간다.

**수정, 알 수 없는 기분에 술이 다 깨고 어안이 벙벙하다. 그런데 이 기분이 나쁘지 않다.**

**하지만 멀어져 가는 상우를 부르지도 못하고 뒷모습만 바라본다. 상우는 부끄럽기도하지만 후련한  듯한 표정과 분위기로 퇴장한다.**
**조명, 서서히 아웃.**

# WRITER'S NOTE

# Q1. 이 글을 쓰게 된 계기는?

당시 글쓰기 모임의 주제가 망한 연애로 10분 희곡을 쓰는 것이었다. 살아온 삶의 시간에 비례하여 그렇게 연애 경험이 많지는 않은 필자에게 10분 안에 그려낼 수 있는 망한 '연애" 모먼트를 찾다가 그동안 지나쳤던 썸남들을 친구들과 함께 뒷담화하는 모습을 심각하지 않고 유쾌하게 풀면 라이트 하면서도 공감대를 이끌어낼 수 있겠다는 판단이 섰다.

그리고 '망한' 이야기가 주제라고 해서 우울하고 무기력해지는 게 아니라 망한 것과 몽글몽글하고 이쁜 일이 동시에 일어나도록 했다. 원래 인생이라는 게 좋은 일 많을 때 구설수 조심해야 하고, 다 망한 줄 알았을 때는 죽으라는 법은 없다고 새로운 일이 찾아온다.

그리고 마음의 상처를 많이 받았을 '수정'에게 생각보다 인연은 멀리 있지 않다는 위안 겸 깨달음을 안겨주면서 하루를 마무리하게 해 주었다.

## Q2. 이 글의 모티브와 레퍼런스는?

이 희곡은 글을 써야겠다고 마음먹은 뒤 3번째 정도에 썼었던 초창기 시절에 쓴 글이기 때문에 필자의 경험담이 꽤 들어가 있다. 물론 완전 100%는 아니다. (보통 본인 이야기는 30% 정도만 넣고 30%는 지인들에게서 주워들은 이야기, 즉, 남의 이야기, 나머지 40%는 게임, 책, 영화, 드라마 등에서 아이디어를 얻어 와서 적절히 섞는다.)

필자가 실제로 어릴 때부터 친하게 지냈던 친구에게 '학창 시절에 꽤 오랫동안 좋아했었다'라는 대과거 형의 한참 뒤늦은 고백을 들었던 경험을 주요 이벤트로 두었다. 그렇지만, 세부적인 대사 및 상황과 등장인물은 연출적으로 다듬고 만들어진 것이다.

글을 쓴 당시에 옴니버스 극을 해본 적이 없어서 해보고 싶기도 했고, 연극 <올모스트 메인>을 좋아하기 때문에 그런 분위기를 내보고 싶었다. 거기에 초여름이라는 계절성이 잘 드러나면 좋겠다는 생각이 들었다. 그래서 여름 느낌이 물씬 풍기는, 지금도 명작으로 꼽히면서 많은 사람들이 여름만 되면 주기적으로 보게 된다는 <커피프린스>나 <연애의 발견>을 레퍼런스로 삼았다.

## *Q3.* 캐릭터 설정은?

'수정'의 경우 푼수 끼가 다분하고 속이 훤히 들여다 보이고, 소위 말하는 호구 잡히기 쉬운 타입의 사람이다. 그렇다고 불쌍하게 보이는 게 아니라 평상시에는 일도 잘하고 재주도 많고 자신만의 매력도 분명하고 당찬 모습이 많이 나타나는 사람이다. 다만 솔직해도 너무 솔직한 게 흠이라 연애에서는 그 부분이 도움이 되지 않는다. 그래도 '상우'의 대사에도 나오듯이, '수정'이 정말 문제적 인간이었다면 어떤 한 사람이 누군가를 그리 오래 좋아하지 못했을 것이다.

'상우'는 초반에는 거의 말이 없다. 후반부에 비중을 몰아 두었기 때문에 고백 장면에서 진솔함과 매력을 발산하면 되겠다. 대신 초반부에는 '수정'이 하는 말에 집중하는 모습과 '수정'의 그놈들 이야기에 살짝 날이 선 표정이 언뜻 비친다면 더 감정을 이어가기 좋을 것이다.

'지수'와 '준호'는 '수정'을 우쭈쭈 해주면서 극의 흐름을 처지지 않게 해주는 역할이다. '준호'가 '지수'와는 다른 맥락으로 분위기를 책임져야한다. 둘 또한 고등학교 때까지 친구였다가 준호의 제대 이후 사귀게 되었다. 5년 이상 된 사이이기에 오래 된 연인의 편안함과 '수정' & '상우'의 텐션과 확실하게 대비되면 캐릭터도 전체적인 그림도 예쁘게 나올 것으로 예상된다.

## Q4. 다른 콘텐츠로의 활용 및 변용 가능성?

글을 쓰기 시작한 지 얼마 안 되었을 때라 주변의 배우 친구들에게 많이 보여주었다. 특히 그 때의 글쓰기 모임 구성원이 전부 여자였기 때문에 남자들의 시각도 알고 싶어서 남배우들에게 많이 보여줬는데 '상우'나 '준호' 상관없으니 자기 역할 하나 시켜주면 안 되겠느냐...라는 반응을 많이 받았다. 그냥 읽어본 사람들 뿐 아니라 모임에서 낭독을 할 때도 실제로 연기를 했을 때 '더 재미 있다.'라는 후기가 많았다.

그리고 한 지인은 장소 변화도 많지 않아서 단편 영화로 만들기도 좋겠다는 의견을 내주었다. 필자도 멀티 콘텐츠화를 염두 했기에 웹드, 단편극, 단편영화로의 변용이 얼마든지 가능하다고 본다.

영상 매체로 옮기게 된다면, '수정'이의 1인칭 시점으로 가도 되고 반대로 '상우'의 내레이션이 깔리고 짝사랑 남자의 시선으로 가도 다른 분위기의 작품이 나올 수 있을 것이라고 생각한다.

## *Q5.* 무대나 화면으로 옮겼을 때, 연출 포인트는?

우선 이 대본은 계절감이 가장 중요하다. 5월 중순에서 6월 말 정도가 적당하며 영상이나 무대로 옮길 때 아파트 단지 내 장미꽃이 흐드러지게 피어 있고 풀벌레가 적당히 들리면서 점차 더워지고 있는 여름의 시작을 배경으로 그려보면 좋을 것 같다.

이 대본을 무대로 꾸민다면 상수와 하수 구분을 명확하게 해둬야 할 것이다. 그리고 조명을 아련하게 만들어서 적당히 취기가 오른 분위기를 내야 한다. 영화로 옮긴다면 고깃집에서의 긴 시퀀스 및 편집을 잘 정리해야 하고 영화 치고는 대사 호흡이 길기 때문에 배우들 또한 연기력이 꽤 받쳐주면서 서로 간 합이 잘 맞아야 한다. 그리고 버스 정류장에서 '수정'이 취해서 '상우'에게 살짝 기대는 장면 정도를 추가하여 고깃집에서 '수정' 집까지 이동을 대체하고 분위기와 감정선을 전환 시켜줄 수 있겠다.

# 어드레 감디?

## 등장인물

남자
- 제주공항에서 출발

여자
- 서귀포시에서 출발

* 어드레 감디
= 제주도 말로 '어디로 가세요?' 라는 뜻

## *S#1.* 제주공항, 이른 아침 - 남자

공항 전경, *FS.* 이착륙하는 비행기 모습들이 보이고 대합실에서 티켓을 끊고 수하물을 싣고 챙기는 모습들.

*DISSOLVE*

게이트를 나오는 한 남자가 보인다. 남자가 나온 게이트 바로 앞에 *HELLO, JEJU!* 모형물이 반겨주고 있다. 남자는 트래킹 가방과 오래 걷기에 편한 신발과 의상을 착용하고 있고 턱수염은 남유럽 라틴계 남성들 수준으로 꽤 오래 다듬으며 기른 것 같은 티가 난다. 언뜻 봐도 값이 꽤 나가 보이는 전문가용 카메라를 들고 사진을 몇 장 찍고 다른 관광객들과 달리 휴대폰 검색 한 번 하지 않고 버스를 기다린다. 제주 버스터미널까지 가는 버스를 타는 남자.

*FS = FULL SHOT, 풀샷의 약자

**DISSOLVE = 디졸브,

앞 장면과 뒷 장면이 겹치며 장면 전환

## S#2. 서귀포 시, 이중섭 거리, 아침 - 여자

해가 어느 정도 떠오른 시각. 이중섭 거리를 걷고 있는 여자가 보인다. 기념품 가게를 몇 군데 대충 훑어보다가 내리막길을 내려온다. 언덕을 내려와서 큰 길로 나와 횡단보도를 건너는 모습. 조금 더 걸어가다가 작은 커피 가게 안으로 들어간다.

## S#3. 커피 가게 안 - 여자

바리스타에게 무언가 주문하는 여자. 자리에 앉아 미니 태블릿 사이즈 정도 되는 크로키용 스케치북을 꺼내서 한 장씩 넘겨본다. 스케치북을 쫙 펼쳐서 긴 방향으로 돌려놓더니 세필 촉펜을 꺼내들고 그림을 그리기 시작한다. 방금 내려온 이중섭 거리 길을 빠르게 그리고 있는데 어느새 나온 커피와 크로플을 아르바이트생이 놓고 간다.

시간이 한, 두 시간 정도 지났다. 문자 소리가 들린다(카톡 아닌 *SMS* 문자). 휴대폰을 확인해 보는 여자. 문자 내용 *CU*.

**'늦어도 3시까지는 와야 돼.**
**막배가 4시 반이라서...'**

내용만 확인하고 휴대폰을 엎어두고 다시 그림을 그리려다가 휴대폰을 다시 보는 여자. 답장을 보낸다.

**'너나 늦지 마...'**

****CU= Close up*, 클로즈 업의 약자

크로키를 얼추 끝내 놓고 크로플은 다 먹지 못하고 남은 커피는 마지막으로 한 모금하며 자리를 나서는 여자. 남자와는 다르게 굉장히 단출한 차림이다. 얇은 롱 코트를 입었고 가방도 가볍다. 옷차림만큼이나 가벼운 발걸음으로 카페를 나와 어디론가 향한다.

## S#4. 구좌읍 월정리, 아침 - 남자

월정리 마을에 내려서 트래킹 로드를 따라 걷고 있는 남자. 아직은 마을의 작은 골목길 사이사이와 갈대밭, 흙색이 아주 까만 밭과 구멍이 숭숭 뚫린 현무암으로 쌓은 돌담 사이를 걸어간다. 조금 더 걷다 보니 오래된 유적지도 나온다.

바닷길로 빠지기 전, 지붕 색이 다른 전형적인 제주 집 몇 채가 일렬로 서 있다. 이제 해도 제법 높이 떠올라 아침 안개와 해무가 많이 사라졌다. 남자는 타이밍을 놓치지 않고 셔터를 몇 차례 눌러 마을 풍경과 초록, 갈색, 검은색이 극명하게 대비를 이루는 밭과 숲을 담았다.

어느새 가방도 풀어놓고 뒷걸음치면서 찍다 보니 돌담에 살짝 팔꿈치가 닫았다. 뒤돌아보니 거의 집집마다 한 마리씩은 보이는 대형견 하나가 셔터 소리에 낮잠을 자다 깼는지 자기 집에서 나와 빼꼼 쳐다본다. 나쁜 사람이란 생각은 들지 않았는지 짖지 않고 신기하게 바라만 보는 아이의 사진을 한 장 찍어주는 남자.

시계를 보고는 카메라를 정리하고 다시 가방을 조여 매며 길을 떠난다. 바닷길 쪽으로 빠지는 뒷모습을 비추며 장면 전환.

월정리
세계자연유산마을

# S#5. 광치기 해변, 정오 - 여자

거칠게 달려오다가 급정거하는 버스 201번에서 내리는 여자. 같이 내린 올레길, 등산객 일행들이 저마다 약한 헛구역질과 함께 멀미를 토로한다.

**등산객 1**

**오우... 무슨 운전을 저렇게 거칠게 하냐...**

**등산객 2**

**성산 일출봉 올라 가기도 전에 뻗겠다... 오웩....**

여자도 마찬가지로 메쓱 거리는 속을 부여잡고 근처 큰 규모의 커피 체인점으로 향한다. 화장실을 사용하고 주문한 음료를 들고 나와 성산 일출봉과 바닷길을 오른 편에 두고 걷기 시작한다. 방금 나온 커피 점 주변에는 유채꽃 밭이 드넓게 펼쳐져 있는데 아쉽게도 가을이라 꽃은 피어 있지 않았다. 아침보다 날씨가 맑아져서 성산 일출봉과 수평선 너머 우도까지 잘 보인다. 조금 빠른 걸음으로 지나가려다 스마트폰으로 사진을 몇 장 찍는 여자 그러고는 스마트폰을 주머니에 다시 넣고 선글라스를 쓰고 본격적으로 걷기 시작한다.

## S#6. 두 사람 걸어가는 모습 - 교차 편집

남자는 월정리에서 시작해서 남쪽으로, 여자는 성산 일출봉 근처에서 북쪽으로 걸어오고 있다. 제주 동쪽 해안 길, 올레길이 보이게 풀샷과 드론 촬영 등으로 수평선, 지평선, 자전거길, 도로, 밭이 저마다 다른 색의 무한의 직선이 수평 수직으로 화면에 펼쳐진다. 그리고 그 사이를 걸어가는 남자 여자의 모습이 교차 편집.

## S#7. 성산항에서 멀지 않은 어느 식당

점심시간이 많이 지난 오후 시간. 먼저 도착한 여자가 식당 문을 열고 들어간다. 가장 구석진 자리에 들어가 앉는다. 딱히 볼 게 없는 식당 내부인데도 꽤 두리번거리는 여자. 주문받으러 온 할머니에게 일행이 오면 주문하겠다고 말했다가 이내 주문한다. 그러고는 잠깐 생각에 잠기다 크로키 스케치북을 꺼내서 이때까지 그린 그림을 돌아본다.

드르륵 소리가 들리고 남자가 들어온다. 가게 주인 할머니에게 가볍게 목례를 하고 곧바로 여자가 앉아 있는 구석진 자리로 찾아간다. 무거운 짐을 천천히 풀어 빈 의자에 내려두는 남자.

**남**

**잘 찾아왔네.**

**여**

**내가 너야?**

**남**

**주문했어?**

**여**

**어, 니가 그때 못 먹고 간거.**

남자는 부드러운 코웃음을 치고 의자에 앉아 물수건으로 손을 닦는다. 자연스레 크로키화에 눈이 가고 손을 뻗어 한 장씩 본다. 여자가 조금 당황해하자 자기 카메라를 켜서 오는 길에 찍은 사진을 보여 준다. 서로의 작품을 하나씩 꼼꼼히 감상하는 두 사람. 다른 사람들처럼 '뭐가 좋다, 이쁘다.'라는 평도 함부로 하지 않고 조용히, 찬찬히 서로의 시선이 담긴 것들을 느끼고 있다.

김이 모락모락 나는 오분자기 죽이 두 그릇 나오자 그제서야 두 사람은 배고픔을 느끼고 현실로 돌아와 각자 손에 든 카메라와 스케치북을 내려놓고 밥을 먹기 시작한다. '뜨겁다, 맛있다.'와 같은 옅은 감탄사만 들리고 조용히 밥 먹는 두 사람.

## S#8. 식당 앞, 거리, 오후

밥을 다 먹고 식당 문을 나오는 두 사람. 그 사이 다시 해무가 밀려왔다. 두 사람 손에는 자판기 밀크커피가 하나씩 들려있다. 홀짝거리면서 도로를 건너 수평선과 조금 떨어져 있는 성산항을 바라본다. 남자는 아직 뜨거운 커피를 몇 번 후후 불고는 쭉 들이켜고 여자를 향해 돌아본다. 커피 때문인 척 몇 번 목을 가다듬고 콜록거리다가 입을 뗀다.

**남**
**이제 가볼게.**
**막배 놓치면 오늘 우도 입항을 못해서...**

**여**
**응...**

남자를 쳐다보지 않고 계속 바다를 보고 있던 여자는 커피를 근처 나무 울타리 위에 올려놓고 남자를 빤히 바라본다. 갑자기 빤히 바라봐 살짝 부끄러워하는 남자. 뭐라고 질문할 새도 없이 갑자기 여자가 남자를 와락 안아준다.

**여**

**안녕....**

어떻게 해야 될지 몰라 가만히 차렷 자세로 있던 남자는 몇 년 같았던 몇 초가 지나서야 여자의 양 팔꿈치를 살짝 감싼다.

**남**

**또 보자...**

여자는 그 말에 바로 파하하 웃는다. 웃다 보니 살짝 포옹이 풀렸다.

**여**

**그래, 또 보자.**

여자는 울타리 위에 올려뒀던 커피를 마저 마시면서 무심한 척 수평선을 다시 바라본다. 남자는 뒤돌아 성산항 방향을 향해 빠른 걸음으로 걸어간다. 여자는 얼마 남지 않았던 커피를 다 마시고 남자가 떠난 방향을 힐끔 쳐다본다. 바삐 뛰어가는 뒷모습을 잠깐 바라보다 여자도 뒤로 돌아 남자가 지나 왔던 길을 이번엔 그녀가 올라간다.

빠른 걸음으로 가던 남자의 발걸음이 느려진다. 계속 앞을 향해 걷고 있지만 어딘가 망설이는 듯한 발걸음이다. 결국 멈춰서 뒤를 돌아보는데 여자는 저 멀리 점이 되어가고 있다. 아무래도 뒤돌아볼 것 같지 않다. 카메라를 들어 긴 선으로 이어지는 보도 위의 점 하나를 찍는 남자. 배가 들어오는 소리에 항구로 가는 발걸음을 재촉한다.

화면은 두 사람을 비추지 않고 멀리 해수욕장, 파도, 수평선을 담으며 페이드아웃.

# WRITER'S NOTE

## Q1. 이 글을 쓰게 된 계기는?

합평할 때나 피드백을 받을 때 들었던 필자의 장점은 스토리텔링이 풍부하다는 점이었다. 반면 단점은 그만큼 텍스트가 너무 많다는 것이었다. 처음 글쓰기 모임을 이곳, 저곳 다니면서 단기간에 여러 장르를 다루어 봤는데 이름난 작가도 장르가 바뀌면 마치 글을 처음 쓰는 것마냥 맥을 못 추는 경우도 많다고 들었다.

멀리서 찾을 필요도 없이 시나리오만 쓰시던 분이 갑자기 연극 연출을 하시겠다며 희곡을 썼는데 한껏 기대했던 영화 팬들이 으리으리한 혹평을 남기는 것을 보고 글쓰기도 참... 못 해먹을 예술이라는 생각을 한 적이 있다.

여러 글쓰기 수업 중 가장 나중에 접한 시나리오는 평소 걱정도 많고 말도 많고 전하고 싶은 게 많은 나에게 굉장히 어려운 것을 요구했다.

'말로써 모든 장면과 모든 심리를 표현하려고 하지 말 것, 연출적으로 더 그려볼 것, 그리하여 글로써 그림을 그리는 것.'

특히나 단편 시나리오는 10분에서 20분 사이에 한 편의 이야기가 나와야 하는데 그래도 영상예술을 위한 필수 도구이자 엄연히 문학에 속해 있는 글이지만 매우 경제적이어야 함을 깨달았다. 시사, 경영, 미래학 서적과 같은 정보성 글과는 다른 의미의 '경제성'이 필요했다. 그림도 어여쁘게 그려지면서 인물도 드러나면서 사건도 전개되고 그런데 말로 모든 걸 다 쓰지 말라고 요구하는 것이 시나리오였다.

그래서 평소 필자의 스타일과는 전혀 다른, 말을 아끼는 시나리오를 쓰려고 머리를 굴려보았다. 미장센이 강한 영화가 평소 필자의 글쓰기 스타일과는 대척점에 있었는데 (하지만 미장센 영화 보는 걸 좋아한다, 오히려 연기적으로도 잘 맞다) 평소 디자인과 미술에 약했기 때문에 옆 페이지에 나올 레퍼런스에서 영감을 얻어 이야기를 펼쳐 보았다.

## Q2. 이 글의 모티브와 레퍼런스는?

어느 날, 한 포털 사이트 메인에 유명한 행위 예술가의 이야기가 올라와 있었다. 지하철을 타고 가면서 가십거리처럼 재빠르게 읽고 치우려고 했는데 그분의 행적이 굉장히 눈길을 사로잡았다.

그 행위 예술가는 '마리나 아브라모비치'였는데 내가 읽은 포스트는 2011년 '예술가가 여기 있다'라는 제목으로 한 미술관에서 '마리나'가 눈을 감고 앉아 있으면 반대 자리에 관객이 들어오고 '마리나'가 눈을 뜨면 두 사람은 몇 분간 서로 눈 맞춤을 나누는 형식의 작품이었다.

누군가의 눈을 2-3분 지그시 바라보기가 생각보다 쉬운 일이 아니다. 연기를 처음 시작할 때 눈만 마주치면 웃음이 빵 터져버리고 상대의 감정을 쳐다보는 것 같아 무안함 마저 들어서  몇 달 정도 고치느라 고생한 기억이 있다. 타인의 눈을 차분히 들여다보는 게 엄청난 용기가 필요한 것임을 알기 때문에 흥미롭게 그 행위 예술가에 대한 포스팅을 꼼꼼히 읽었다.

그런데 그 퍼포먼스가 진행되던 중 젊은 날 *10*년 넘게 연인으로서, 예술적 동지로서 함께 했던 '울라이'가 맞은편 자리에 앉는다. 시종일관 침착함을 유지하던 '마리나'는 눈물을 보이고야 만다. 생판 처음 포스팅을 통해 알게 된 사람이었는데 다른 작품도 알고 싶어졌고, '울라이'와의 관계도 궁금했다.

그래서 그날 몇 시간 동안 두 사람의 역사를 짧게나마 따라가보았다. 그 중에서 가장 대작이었으며 *8*년이라는 세월에 걸쳐 만들었지만 장대했던 만큼, 두 사람에게 너무 크고도 찬란한 이별로 이어졌던 만리장성 프로젝트, *'THE LOVERS'*에 마음을 빼앗겼다.

만리장성 양 끝에서 두 사람이 서로를 향해 *90*일가량 걸어온다. 가운데 지점에서 만나면 프로젝트가 끝나고 두 사람은 결혼식을 올리려고 했다. 그러나 준비기간이 너무 길었던 것일까. '울라이'는 중국 당국의 협조를 구하기 위해 기용했던 중국어 번역가와 새로운 사랑을 시작하게 되었고 '마리나'도 다른 사랑을 찾아 떠났다. 그래서 결혼식이 아니라 이별식이 되어버린 작품 안에서 두 사람은 긴 시간을 힘들게 걸어와 잠깐 만났다 영원히 헤어져 버린다.

결국 인생의 모든 관계는 그런 것이다. 유려한 대사가 따로 준비되어 있는 것도 아닌데 다양한 감정이 들었고 본 적도 없는 두 사람의 추억이 화면 너머에 있는 필자에게까지 깊숙이 전달되었다.

그렇게 <어드레 감디?>는 이들의 여정에서 모티브를 얻어 나만의 느낌으로도 풀어내고 싶어서 평소와는 다른 스타일로 도전해 본 시나리오였다.

## *Q3.* 캐릭터 설정은?

우선 말보다 그림과 사진으로 표현하는 게 더 자연스러운 '남자'와 '여자'다. 굳이 이름도 정하지 않았다. 대사를 많이 아낀 만큼 누구나의 이야기가 될 수 있으므로.

두 사람은 같은 예술을 하는 동지로서 서로에게 강하게 끌렸겠지만 그만큼 부딪히는 것도 많았을 것이다. 끝이 좋지 못했고 어느 정도 시간이 지난 지금 어이없는 이별을 마무리 짓기 위해서라도 둘 중 한 명이 먼저 연락을 취했을 것이다.

한 명은 남으로 다른 한 명은 북으로 향한다. 마지막 장면은 포옹하고 웃으면서 헤어지는데 상상은 자유지만 일단은 이후에도 둘은 연락하거나 서울에 돌아와 다시 만났을 거라는 설정을 잡았다.

이 대본에서 캐릭터는 자유롭게 변형이 가능하다. 대신 남녀 배우 모두 나이가 30대이면 좋고 이목구비가 뚜렷한 얼굴보다는 전체적인 아우라가 좋아야 한다.

## Q4. 연출 포인트 & 다른 콘텐츠로의 활용 및 변용 가능성

풍경이 많이 담겨야 하기 때문에 카메라도 좋은 것이 필요하고 제주도 배경이라 날씨를 잘 맞춰서 찍어야 할 것이다. 그리고 로드무비인데 차량이 아닌 걷기로 이동하기 때문에 드론 촬영이 필요하다.

제주도는 대지가 현무암이라 초록 풀밭과 검정색 돌담길, 빨간 자전거 도로 그리고 쪽빛 바다까지, 자연이 직선과 곡선으로 이미 아름답게 그려놨기 때문에 그 위를 사람이 한 점이 되어 걸어가기만 하면 된다.

대본에 충실하게 제주도 배경으로 한다면 장비 대여비와 숙박비 등 제작비가 큰 문제인데 관광청이나 제주시, 서귀포시, 제주도청 수준에서 제주도 배경의 영상을 요청하면서 공모전 혹은 지원금 지급이 있다면 노려볼만하겠다.

이 대본은 굉장히 잔잔하고 대사도 많이 없어서 다른 장르의 콘텐츠로 변용시키는 것은 깔끔하지 않을 것으로 예상된다. 영화로 최대한 활용하되 배경을 잘 찾아야 하는데 꼭 필요한 요소는 종단이든 횡단이든 남녀가 교차하여 한 지점에서 만나야 한다. 남녀의 교차 장면이 대비가 있어야 하고 닮은 듯 다른 두 사람의 모습과 반응이 잘 나와야 한다.

보이는 것보다 먼 듯 가까운,

# 맞은편
# 어딘가

## 등장인물

나
- 905호

이웃집 여자
-912호

*****

여느 때보다 마감을 조금 일찍 하고 집으로 돌아오는 길이다. 휴일 마지막 날이라 다들 내일을 준비하는지 일찍 한산해졌고 평소보다 빨리 끝나서 새벽 1시. 이제는 밤이 춥지 않고 선선하다. 다른 사람들처럼 저녁 시간대 찜통 같은 지하철을 탈 필요 없이 반시간 정도 걸어서 집에 오는 길이 좋다. 이 정도 기온에 적당한 바람이면 온종일 요리하느라 아리던 손가락이나 다리의 피로도 느껴지지 않는다. 오늘은 달도 잘 보인다.

*WESTLIFE* 노래 들으면서 걷다 보니 어느새 우리 집 건물이 보인다. 오피스텔 빌딩 몇 개가 모여 있는 동네에 살고 있다. 이 시간에 불이 빛나는 곳은 편의점과 24시간 김치찌개 집뿐. 집이 보이기 시작하니 이내 다시 손가락이랑 다리가 아프다. 얼른 들어가서 씻고 자야지……

905호. 엘리베이터 내려서 코너를 꺾으면 제일 마지막 집. 내가 사는 10평 남짓, 1.5룸. 남자 한 명 딱 살기 좋은, 가끔 친구 몇 놈 불러서 술 먹고 놀기 좋은 크기의 집이다. 드디어 집에 도착… 잠깐, 문 손잡이 위에 웬 메모지가 붙어있다. 메모지 치고는 좀 큰 사이즈인데 내용은 보여주고 싶지 않았는지 반 접혀져 붙여 놓았다. 설마 층간 소음 때문에? 최근에 밤늦게 논 적은 없었는데…… 그제 저녁에 업로드가 늦어져서 밤 10 시 넘어서 요리 영상 녹화했는데 많이 시끄러웠나?

신경은 온통 쪽지에 꽂힌 채 손가락이 기억하는 대로 도어락에 비밀번호 6자리를 입력하고 집으로 들어간다. 휴대폰이랑 이어폰을 책상위에 아무렇게 내려놓고 소파에 앉아 쪽지부터 펼쳐본다. 메모지는 어디 외국에서 샀는지 알 수 없는 꼬부랑 글귀 몇 자에 이국적인 배경이 블러 처리된 듯 희미한 그림자처럼 바탕을 이루고 있다. 심이 얇은 펜으로 정갈하게 쓴 글씨가 몇 줄 적혀 있다.

안녕하세요.

몇 번 엘리베이터 같이 타고 내렸을 때
맞은편 905호로 들어가는 걸 봤었는데
호수가 틀리지 않았으면 좋겠네요.

며칠 전 일이지만,
본의 아니게 신세를 져서 쪽지를 남깁니다.

요즘엔 괜히 휘말리기 싫어서
도움을 요청해도 회피하는데
오히려 먼저 도움의 손길을 내밀어 주셔서 감사합니다.

지난 몇 달 사이 싸우는 소리가 밖으로 새어 나가
시끄러웠을텐데 그것도 죄송하고요.
그 때 905호 님이 지나가시지 않았으면
큰일 났을거에요.
여러모로 죄송하고 감사합니다.

-912호 드림

912호, 그 사람이다. 3일 전 일이었다.

그 날은 연휴 둘째 날이라 손님이 많아서 새벽 2시를 넘어서야 집 앞에 도착했다. 인적도 드문 거리에 너무나 쩌렁쩌렁한 소리로 남녀가 다투는 소리가 들렸다. 남자는 미친놈 마냥 소리를 질러 대고 여자는 그 와중에도 목소리 좀 줄이라며 차분하게 말하려고 애를 쓰고 있었다. 모퉁이에서 몇 발 내밀었다가 싸우는 소리에 황급히 뒤로 물러났는데 오피스텔 공동 현관문 코 앞에서 싸우고 있어서 집에 들어가지도 못하고 난감한 채로 서 있었다. 남자는 흥분을 가라앉힐 생각이 없는 듯했다. 언쟁을 주고받다가 조금 잠잠해지는가 싶었는데, 이윽고 뺨을 때리는 소리가 들리고 연이어 털썩 쓰러지는 소리가 들렸다.

생각할 새도 없이 모퉁이에서 튀어나와 남자를 일단 여자에게서 최대한 멀리 떨어뜨렸다. 내가 그 남자보다 덩치나 키가 한참 커서 어느 정도 힘으로 제압할 수 있었다. 조금 흥분을 가라 앉힌 뒤 그제야 여자 분이 괜찮은 지 확인하려고 고개를 돌렸다. 그녀는 언제 일어났는지 침착하게 경찰에 전화를 걸고 있었다. 일단 나도 어찌 할 바를 몰라 도망가지 못하게 남자를 꽉 잡고 있었다. 야간 순찰대 두 분이 오셨는데 여자는 살짝 상기된 표정이었지만 말투는 최대한 안정된 톤을 유지하려고 애쓰면서 자초지종을 설명했다. 나도 목격자 자격으로 잠깐 파출소에 가서 몇 가지 증언과 기록만 하고 나왔다. 어안이 벙벙하기도 하고, 계속 있기도 뭣하고, 무엇보다 일단 피곤해서 빨리 귀가했다.

집에 돌아와 한 숨 돌리고 씻은 뒤 누워서 생각해보니 맞은편 집 여자였다. 무슨 일을 하는지 몰라도 오후 4시쯤 출근해서 새벽 1~2시 즈음 퇴근하는 나와 자주 엘리베이터에서 마주쳤다. 상당히 미인이었던 걸로 기억한다. 화려한 이목구비는 아니지만 전체적인 조화가 좋은, 요즘 사람들이 선호하는 분위기 미인이었다. 휴대폰 하는 척 곁눈질로 쓱 훑어보았을 때 얼굴은 어려 보였지만 풍기는 분위기가 대학생이나 대학원생 나이대는 아니었다. 키도 큰 편이고 옷도 무심한듯 깔끔하게 입어서 옷 잘 입기로 유명한 몇몇 패셔니스타 배우들 느낌이 나기도 했다. 마주칠 때마다 블랑을 몇 캔씩 사서 봉지에 쥐고 있었고 어떤 날은 아예 편의점에서 사자 마자 마시면서 왔는지 손에 캔을 들고 있었다. 엘리베이터에서 남자친구로 보이는 사람과 함께 마주친 적도 있었던 것 같다. 쪽지에 싸우는 소리가 들렸을 거라고 했는데, 두어 번 정도 복도를 지날 때 다투는 소리를 들은 적이 있긴 했다. 그래서 그 날 밤 다투는 모습을 보고 그냥 지나칠 수 없었던 것 같다.

거기에 그녀의 집이 맞은편이라 얼굴이 잘 기억난다. 처음에는 아무래도 귀가 시간도 늦고, 엘리베이터 같이 탄 키도 덩치도 큰 남자가 같은 층에 같은 방향으로 걸어가니 조금 무서워했던 것 같았다. 세 번째 즈음부터는 내가 몇 발자국 떨어져서 천천히 걸어 집으로 들어갔다. 엘리베이터에서 집까지 서른 걸음도 안 되는데 그래도 나는 그녀의 뒤를 항상 따라갔기 때문에 얼굴이 기억이 난다고 쳐도 905호 우리집 호수를 제대로 아는 것을 보면, 나만 얼굴을 기억하는 건 아니었나 보다.

답장을 쓰기로 했다. 답장을 쓸 필요도 없이 그저 지나가면 되는 일이기도 하다. 하지만 무슨 사연인지는 몰라도 그 날 밤 일로 적잖은 충격을 받았을 것이고 쉽사리 마음이 진정이 되지 않았던 것이리라. 그 와중에도 서면으로 나마 감사 인사를 전하겠다는 것 자체가, 굳이 시간을 내서 이름도 모르는, 맞은 편 집 남자에게 편지를 썼다는 것 자체에 나도 덩달아 고마웠다.

어느 덧 새벽 3시가 넘었다. 오랜만에 손편지를 쓰려고 하니 적당한 편지지 한 장도 없고 처음 글 쓰는 어린아이 마냥 몇 줄 쓰는 게 쉽지 않다. 오른 손 아래 놓인 *A4* 용지 몇 장은 미련없이 찢어 버리고 담백하게 편지를 쓸 생각을 해본다. 이렇게 된 것도 일상의 소소한 인연이다 싶어 기억에 남을 만한 답장을 보내주고 싶다. 안 하던 짓 하려니 머리가 지끈거려서 시원한 음료가 필요하다. 냉장고 문을 열자 김빠진 콜라가 딱 한 잔 따라 마실 정도 남아있다. 페트병을 꺼내고 냉장실 채소 박스를 열었는데 저번주에 엄마가 등산하다가 잔뜩 캤다며 던져준 쑥 한 봉지가 덩그러니 있다. 쑥으로 무슨 요리를 할까 고민만 하다가 냉장고에 넣었는지도 잊고 있었다.

아! 그렇게 편지를 쓰면 되겠다.
콜라를 유리잔에 따르고 냉동실에서 큰 돌 얼음 두 개 띄운 뒤 반쯤 들이켠다. 그리고 *A4* 용지에 다시 글 쓰기를 시도했다.

안녕하세요.
보내주신 쪽지 잘 받았습니다.

저도 몇 번 엘리베이터에서 마주친 것
기억합니다.
제 호수도 기억하고 계실 줄은 몰랐네요.
도움이 되셨다니 다행이네요.
마음 상하셨을 텐데
제 생각도 해 주셔서 감사합니다.

오랜만에 누군가에게 편지를 받아서
왠지 모르게 제가 더 감사하더라고요.
많이 놀라셨을 텐데 요새 일교차도 심하고
이런 때일수록 잘 챙겨 드시는 게 좋아요.
요즘 쑥이 제철이기도 하고 집에 마침
쑥이 한 봉지 있어서 나눠 드릴게요.

쑥이 향이 강해서 요리하기 어렵게 느껴질 수
있는데, 간단하게 쑥 된장찌개 해드시면 좋아요.
TMI이긴 한데 제가 요식업에 종사하고 있고
요리 유튜버도 하고 있거든요.
진짜 초스피드로 할 수 있는
레시피 알려드릴게요.

1. 미리 찬 물에 쑥을 헹군다.
2. 두부랑 애호박, 고추
(홍고추, 청양고추 상관없음) 미리 썰기.
(감자 조금 넣어도 괜찮더라고요. 너무 많이
넣으면 국물이 조금 무거워질 수 있어요.)
3. 쌀뜨물 혹은 생수에 조개나 바지락을 넣어
우려낸다.
(집에 육수팩 있으면 그거 쓰셔도 돼요.
없으면 간장 한 국자.)
4. 물이 끓으면 된장을 두 국자 정도 풀어준다.
5. 여기서 제 팁, 고춧가루 3~4 숟가락.
(차돌박이 된장찌개 같은 경우는 고추장 풀어
주는데 쑥 된장찌개는 고추장 보다는 고춧가
루 넣어주면 조금 더 깔끔하면서 쑥 향도 해치
지 않아요.)
6. 썰었던 재료 다 넣고 5분 정도 푹 끓여 줍니다.
7. 마지막으로 쑥 팍팍 넣어주세요.

주말에 나갈 일 없으시면
집밥으로 드셔 보세요.
쑥은 면역 기능 강화와
해독 작용 효능이 있어요.
맛있게 드시고 나쁜 기운도 털어내시길.

-905호-

답장이 다소 길어졌지만 기왕 도움의 손길을 내민 것, 내가 잘하는 거 하나 더 알려주면 좋지 뭐. 매일 똑같은 식당에 똑같은 직원들만 보다가 무료한 일상에 이런 일도 있구나 싶다. 나이 들고 손 많이 쓰는 직업을 하다 보니까 점점 성격도 섬세해지고 수다가 늘어간다고 스스로 느껴왔지만 얼굴 한 번 제대로 마주한 적 없는 앞집 사람 편지 한 통에 이렇게 주절거릴 줄이야. 나야 원래 퍼주는 성격이니까 저 쪽에서 어떻게 생각하든 상관없다.

다음날 오후에 출근하면서 쑥을 담은 봉지를 912호 문 손잡이에 걸어 두고 A4 용지는 딱 두 번 접어 912호가 그랬던 것처럼 손잡이 위에 테이프로 붙였다. 이상하다. 묘하다. 괜히 옆구리 약간 위 쪽이 간질거린다. 옛날 어린 시절 생각도 언뜻 지나갔다. 기분 나쁘지 않은 가벼운 간질거림을 안고 출근을 했다. 일하면서도 이따금씩 생각났다. 별 희한한 놈 다 보겠네', 그런 식으로만 생각 안 했으면 좋겠다.

오늘도 한산한 편이라 조금 일찍 끝내고 밤바람을 맞으면서 귀가했다. 905호 우리집 문 앞.

아, 답장이 왔다. 저번과 똑 같은 위치에 붙어있다. 그런데 이번엔 메모지가 아니라 봉투에 넣은 진짜 편지였다.

905호님, 호수가 맞아서 다행입니다.
제가 무역회사 다녀서
새벽 늦게 퇴근하는데 자주 마주쳐서
뭐하시는 분인가 내심 궁금하기도 했었는데,
요리하는 분이었군요…
기대하지 않았는데 긴 장문의 답장이 와서
굉장히 감동이었어요.

참, 쑥 된장 찌개는… 망했습니다.
바로 따라 해봤는데 물을 너무 많이 넣어서 그만…
그래도 쑥 향이 좋아서 잘 먹었습니다.

저도 주신 레시피에 레시피로 보답하고 싶은데
905호님은 웬만한 것은 다 아실 것 같아서……

사실 저는 음식 만드는 과정 중에
간 보는 걸 제일 잘합니다.
가장 잘하는 음식도 라면 정도고요.
기분이 처질 때 매운 걸 먹는데 그래서 라면을 좋아합니다.
같은 이유로 짬뽕도 좋아하고요.
맵다고 소문난 집 도장 깨기 하고 다니고.
마라탕이 유명해진 이후에는 마라로 갈아탔어요.

대학시절 영국에 한 학기 영어 연수 간 적이 있었는데요.
식비 아끼려고 중국인, 인도인 가게에서 파는
온 세상 라면을 다 먹어봤거든요.
라면만큼은 제가 905호님보다 잘 알 거라고 자부합니다.

제가 듣도 보도 못한 라면 레시피 알려드릴게요.

1. 아무 라면이나 괜찮지만 매운 라면 쓰는게 좋습니다.
(진라면 순한맛X)

2. 이것저것 들어가기 때문에 스프는 반만 넣으세요.
스프 넣고, 간마늘도 한스푼.

3. 반쯤 면이 익었을 때 참치 캔 반, 계란 1개, 진미채 약간,
순두부(연두부)는 젓가락으로 살살 조금만 넣으세요.

4. 불 끄기 전에 마요네즈, 와사비 넣고,
스리라차 소스 두 바퀴 돌려주면 끝입니다.

벌칙 라면처럼 보이겠만 진짜 맛있어요.
집에 소스랑 엄마가 보내준 반찬이 썩어갈 때
버리기는 아깝고 요리하기도 귀찮아서
닥치는대로 넣어 봤는데 맛있더라고요.

느끼한 게 싫어서 먹어보진 않았지만
색깔은 로제 파스타 같고, 맛은 똠얌꿍이랑 비슷해요.

아무튼 맛은 있으니까
한 번씩 요리하기 싫을 때, 일탈하고 싶을 때, 해보세요.

-912호 드림

희한하다. 워낙 오랜만에 편지를 써서 봇물이 터진 건지, 상대가 외려 낯선 사람이라 그런지, 저번부터 글이 술술 써진다. 끝부분은 쓸까 말까 10분 정도 고민했다. 서신 왕래는 어느 정도 이루어졌고 이렇게 된 것도 인연이니 정말 인사라도 하는 사이가 되고 싶어, 있는 심정 그대로 담았다. 친구, 가족, 동료 외에 인사할 사람이 한 명 더 늘었으면 좋겠다는 생각이 들었다. 이웃사촌이라는 단어도 너무 쓰지 않아 생경하고, 이웃 간에 서로 인사는 커녕 옆집 사람 얼굴도 모른 채 산 것이, 몇 해 째 인지도 모르겠다.

그리고 어쩌면...... 이웃사촌들과 인사하고 집에 놀러가기도 했던 20년 전 즈음이 그리웠나 보다.

***

중고등학교 시절을 보냈던 우리집 아파트는 단지가 꽤 넓었다. 지금처럼 엄청난 호화 아파트가 즐비했던 시절도 아니었고 평수도 다양하고 동수도 많았는데 우리집 103동은 1-2호 라인만 있었다. 청소년 시절을 쭉 지낸 곳이었고 103동 식구들도 나와 비슷한 또래가 많아서 이사 나가는 사람이 거의 없었다.

처음에 엘리베이터를 탈 때 눈 마주치면 가볍게 목례 정도만 했는데 할머니나 누나들과 같이 타면 1층까지 내려가면서 아주 짧은 대화도 나누게 되었다. 물론 내가 먼저 말을 걸지는 않았지만. 할머니는 다른 집 할머니가 타면 옛날부터 알던 사이 마냥 '어디 외출하시나 보네, 새 옷 입으시고.', '어느 교회 나가세요?', '우리 손주인데요, 중2예요. 이 집도 손주 하나 있던데 우리 애랑 동갑내기인가?' 등의 일방통행식 질문과 찰나의 수다를 나누고 내렸다.

누나들의 경우, 같은 반 친구 두 어명이 우리집 아래층에 살았고, 이따금씩 같이 타게 되면 그 1평짜리 공간안에 있는 사람 중 가장 만만한 나를 가지고 농담 따먹기를 하고 시비를 걸었다. 그러면 나는 '응.', '아, 누나 그건 좀…', '아니, 그게 아니라고…' 라는 식의 긍정 또는 부정의  단답형 대답만 할 뿐이었다. 그런 식으로 계절이 두 번 정도 지나자 모든 층 사람의 얼굴을 인식하게 되었고, 어느 집에 형제 자매가 몇 명인지, 부모님이 뭐하시는 분인지도 파악하게 되었고, 몇 명은 이름까지 알게 되었다.

'그 친구'도 같은 동 주민이었다.

내 10대에서 가장 많은 지분을 차지한 그 녀석은 제

일 높은 22층, 2202호에 살았다. 우리집은 한 층 아래 2101호. 사람들이 다 내리는 동안, 남은 우리 둘은 모니터 속 위로 향하는 화살표와 22층을 향해 점점 올라가는 숫자만 멍하게 보고는 했는데 어느 날, 먼저 말을 걸었던 건 그 친구였다. '해강 중학교야? 2학년, 3학년?' '......' 교복이 달라서 보면 아는데 왜 물어보는 건가 싶었다. 인사도 안 하는 사이였는데 갑자기 말을 건네서 잠깐 당황함을 느낀 후 '2학년.'이라고 대답했다. 시선을 두기가 애매해서 눈알을 굴리다가 가슴팍에 그 친구 이름표를 보았다. 교복에는 학번도 쓰여 있었다. 같은 2학년이었다.

그 뒤로 시험은 언제 보는지, 무슨 게임 하는지, 스타크래프트는 얼마나 하는지 얘기하다가 각자의 집에도 서슴없이 놀러가는 사이가 되었다. 일주일에 두 번 정도는 PC 방도 같이 갔다. 알고 보니 영어 학원, 수학 학원도 아래위 층이라 학원 쉬는 시간이면 따로 만나서 떠들고 서로의 학원 친구들끼리도 친해졌다. 하루는 PC 방에서 두 명씩 편 먹고 용돈 내기를 했는데 그 놈이 진짜 어이없는 플레이를 해서 졌고 서로 큰소리로 몇 마디 쏘아붙였다. 여러모로 빈정이 확 상해서 며칠 동안 인사도 하지 않았다. 3일 정도 냉전 중이었는데, 학원을 갔다 집에 돌아오니 부엌에서 남자애 목소리가 들렸다. 그 녀석이 마치 자기가 손주인 것 마냥 우리 할머니와 밥을 먹고 있었던 것이다.

"야, 여기서 뭐하냐."
라고 물었더니 오로지 식사에만 집중하면서,
"보면 모르냐, 밥 먹지. 집에 밥이 없어서."
라고 말하고는 할머니한테 한 공기 더 달라고 했다.

너무 어이가 없어 실소가 터지면서 나도 '미친 놈.' 한마디 내뱉고 나란히 앉아 저녁을 먹었다. 우리는 사과를 따로 하지 않고도 그렇게 화해했다.

나는 학원을 가지 않는 날은 할머니와 누나들의 잔소리와 등쌀에 휘말리기 싫어서 자주 그 친구 집으로 도피했다. 그 친구네 부모님은 두 분다 법조계에 종사하셔서 눈코 뜰 새 없이 바쁘셨고 외동아들이었던 친구는 집에 늘 혼자 있었다. 한참 밤에 들어오셨기 때문에 우리 할머니가 해주는 저녁밥을 같이 먹기도 했고 나도 부모님이 늦게 오시는 날은 그 친구 집에서 인스턴트나 배달 음식을 시켜 먹고는 했다. 우리 집에서는 할머니가 '남자는 부엌 들어가면 안된다.'는 고릿적 계명을 지키고 계셔서 라면도 제대로 못 끓여봤는데 친구 집에서는 아주 가끔 정체불명의 요리도 해먹으며 나름의 일탈을 즐겼다. 그러다가 여기저기 뒤적여서 예상보다 훨씬 괜찮은 요리를 완성하기도 했고 그럴

때마다 친구가 '너 요리사 하면 잘하겠다. 셰프해, 셰프.' 하고 장난식으로 말했는데 그 때 추억이 지금의 나로 이끈 것이 아닐까 싶다.

그렇게, 딱히 좋은 일도 크게 나쁜 일도 없었던, 여느 10대들과 비슷한 나날들을 지냈다.

나는 인서울에 성공해서 고향을 떠났고 친구는 고향 동네에서 멀지 않은 국립대에 진학했다. 고향을 떠난 이후 자연스레 연락이 뜸하게 되었고 집에 혼자 있어서 그런지 밖에 나오면 또래 남자애들 중에서 퍽 수다스러웠던 친구는, 오히려 스무 살이 된 이후 말이 없어진 것 같았다. 전공이 맞지 않았는지 대학 생활에 적응을 잘 못했는지 이따금씩 통화를 하면 대학 얘기는 물어보지 않는 한 절대 먼저 언급하지 않았다. 첫 학기에 여자친구도 바로 사귄 나는, 신나는 새내기 생활을 즐기느라 친구에게 연락하는 빈도수가 점차 줄어들었다. 그리고 우리 둘은 비슷한 시기에 입대를 한 것으로 기억한다.

그리고…… 제대 후,
친구가 세상을 떠났다는 것을 알게 되었다.
제대를 몇 개월 앞두고 부대에서 총으로 자살을 했다고….

당시 외부에서는 적잖이 화제가 된 모양이었지만 친구들이 대부분 비슷한 시기에 군 생활을 하고 있었기 때문에 소식을 늦게 접하게 되었다. 사실 말만 조금 많았을 뿐 떠들고 노는 순간에도 그림자가 여기저기 보였던 친구였다. 그리고 그의 부모님은 바쁘기도 했지만 일이 세상 그 무엇보다 먼저인 분들이었고, 나이를 먹고 돌이켜보니 두 분은 각자 애인도 있었던 것 같다. 워커홀릭에 사랑과  의리도 없는 결혼생활은 하나 밖에 없는 아들을 짐짝 취급하게 만들었을 것이다. 내가 누나들 뒷담화를 하면 정작 나는 화나고 심각한데 반해, 그 친구는 누나들이 은근히 잘 챙겨주는 것 같다며 열 일곱, 열 여덟 살의 표정이라고 생각하기 어려운 쓴웃음을 짓기도 했던 것 같다. 할머니가 누나 친구들이 오면 하라는 공부는 안하고 맨날 놀기만 한다며 혼내면서도 그 친구에게는 항상 끼니 잘 챙겨 먹는지를 걱정하며 저녁 먹고 가라고 하셨던 것도…아마도... 할머니는 표정만 보고도 모든 걸 파악하셨던 것 같다.

사실 제대로 물어볼 기회는 많았다. 하지만 말로 하지 않아도 서로 다 알고 있으니 그걸로 충분하다 판단했고 물어봐도 말해주지 않을 것이라 넘겨 짚었다. 무엇보다 좀 친하다고 해서 값싼 위로를 함부로 해주고 싶지도 않았다. 고향을 떠나고 나서는 연락과 만남이 현저히 줄었고 그만큼 마음이 멀어졌고 그저 그렇게라도 살아가고 있을 것이라고, 무소식이 희소식이라며 합리화했다. 제대하기 전부터 할머니도 급성 림프종으로 크게 아프셨는데 손주를 마지막으로 보고 가려고 남은 힘을 소진하셨는지 내가 제대할 때 잠깐 괜찮아지셨다가 한 달 후 세상을 떠나셨다.

그렇게 나의 청소년 시절을 받치던 기둥 두개가
영원히 사라졌다……

복무 중, 야간 보초 설 때마다 별을 빤히 바라보고 있다 보니 자연스레 인생 고민도 많이 했었다. 그 때 고민에 대한 어설픈 내 심중의 답변과, 할머니와 친구와의 추억을 파편적으로 의지해 요리를 해야겠다는 결심을 내리고 무작정 프랑스로 향했다.

그러나 준비가 덜 된 상태에서 무리한 도전은 또다른 공허함을 안겨주었다. 타향에서의 언어 장벽, 인종차별, 한인 사회 내부갈등, 여러 어려움을 겪었지만 값비싼 경험을 했다. 그 와중에 요리는 다행히 적성에 잘 맞아서 귀국 후 한식과 일식 위주로 다시 공부했다. 일을 하기 시작하면서 많은 것들이 시간속에 씻겨져 나갔고, 빈 공간은 새로 채워졌다. 큰 부를 누리는 것은 아니지만 혼자 살기 충분할 만큼 벌며 나름의 안정감을 유지해 나갔다.

그제서야 주위를 둘러보니 나를 둘러싼 무수한 것들이 변했다. 그리고 세월 따라 달라진 내 모습들도 발견하고는 한다. 가장 크게 변한 행동 중 하나는 주변 사람에게 질문을 많이 던진 다는 것. 말이 잘 통하지 않는 곳에 있으면서 눈치 코치를 상당한 수준으로 길렀고 사람의 행동이나 눈빛을 빨리 파악하게 되었다. 심신에 여유가 조금 생긴 이후로는 자연스럽게 안부나 관심사를 물으며 다른 이의 속사정도 곧잘 끌어내게 되었다. 전문 상담가도 아니고 내가 딱히 솔루션을 제시하지는 않는다. 한 번씩 마음의 염증이 부풀어 오른 곳을 찔러주고 맞장구 쳐주며 차오른 고름을 빼내도록 들어주는 것. 일하는 직원이나 단골 손님에게 나의 역할은 그 정도다. 일하다 보니 자연스럽게 하게 된 업무의 일종이었다. 요리를 하면서 나도 모르게 성격이 섬세해진 탓도 있고 나이가 들면서 수다가 늘어난 탓도 있다.

그리고...... 일종의, 마음의 빚을 갚기 위한 행동이었다.

*

오늘은 완연한 봄 날씨다. 어젯밤 편지를 쓰다 사색에 잠겨 늦게 자서 그런지 아점을 간단하게 먹었는데도 졸음이 몰려온다. 한 달 뒤면 이 시간대가 무척 더워지겠지. 지금도 살짝 더운데 써큘레이터를 켤까 하다가 몇 초 걸리지 않을 행동 마저도 나른함에 밀려 소파에 몸을 기댄다. 한 20분 잔 줄 알았는데 눈을 떠보니 2시간이 넘었다. 가볍게 정리를 하고 폰 게임을 잠깐 하다가 나갈 채비를 했다. 출입문으로 향하는데 그냥 지나치던 우편함이 괜스레 신경 쓰여 발걸음 멈추고 한 번 훑어봤다. 어, 내가 아침에 꽂은 편지가 없다. 벌써 가져 갔나 보다. 오늘은 일찍 나갔나, 아님 밤샘 근무하고 아침에 들어왔나, 공과금 일체를 자동이체 하고 있어서 우편으로 올 것이 딱히 없기 때문에 우편함 쪽은 고개도 돌리지 않고 가는데 다들 나 같지는 않은가 보다. 며칠 뒤에나 편지를 확인할 줄 알았는데 이미 읽었을 수도 있겠다.

날씨도 좋고 토요일이라 사람이 너무 많았다. 마감이 오래 걸려서 평소보다 훨씬 늦게 집에 당도했다. 들어가기 전에 출입문 근처에서 담배를 한 대 핀다. 사람들이 주로 흡연하는 벤치 근처, 이 시간에 누가 서 있다. 담배 피러 나온 사람인가 싶었는데 차림새를 보니까 여기사는 사람 같지는 않다. 담배를 반쯤 피는 동안 몇 번 더 흘깃 그 사람 얼굴을 보았다.

어디서 봤나 했더니, 그 인간이다. 경찰서까지 갔다 왔는데도 정신을 못 차렸나 보다. 남은 담배를 태우면서 그냥 들어갈까, 한마디라도 해서 쫓아 버릴까, 아니면 빨리 올라가서 *912*호에게 알려줘야 하나 여러 생각이 교차했다. 발 끝에 힘을 강하게 실어 담뱃불을 비벼 끄고 벤치로 걸어간다.

- 저기요, 나 기억하죠?
- …….
- 적당히 하세요. 선을 넘어도 한참 넘었잖아요.

남자가 나를 빤히 쳐다본다. 바로 반박할 줄 알았는데 아무 말이 없다. 천천히 눈동자가 내 뒤 쪽을 가리킨다. 싸한 느낌에 돌아보니 그녀가 굳은 표정으로 쳐다보고 있었다. 몇 초간의 정적이 흘렀다. 그녀는 두 남자를 번갈아 쳐다보다가 출입문으로 뛰어들어간다. 나도 어찌할 바를 몰라 굳어 있다가 안으로 발걸음을 옮겼다. 그녀가 엘리베이터를 타는 순간에 일단 재빨리 탔다.

그 장면을 당사자한테 들켜버려 나도 그렇지만, 그녀는 훨씬 더 당혹스러울 것이다. 승강기는 그 사이 9층에 도착했고 미안하다는 말이 입술 끝에 매달려 있는데 그녀가 반 박자 빨리 말을 내뱉는다.

- 선은 그 쪽도 넘으신 것 같은데요.

그 말과 함께 문이 열리고 빠른 걸음으로 그녀는 집으로 향한다. 나도 안다. 한마디만, 딱 한마디만 하려고 했던 게 이렇게 될 줄이야. 엘리베이터 문이 스르륵 닫힌다. 잠시 멍하니 서 있다 열림 버튼을 누르고 터벅 터벅 나도 내 집으로 들어갔다.

과유불급. 우연히 목격자가 되어 도움을 주었다고, 편지 몇 번 주고받았다고, 나만 납득할 수 있는 개입을 했다. 다른 사람에게 그런 모습 보이기 싫었을텐데...... 아니, 애초에 아무런 관심을 주지 않는게 제일 좋은 방법인데, 왜 굳이 야심한 시간에 또 나갔을까... 그래, 이런 생각 마저도 선을 넘는 거겠지. 두 사람 사이의 길었던 시간들을 내가 함부로 재단할 수는 없다.

사람 관계 라는 게 너무 어렵다. 어디에서 어디쯤 까지가 적당한 걸까......

천장을 보고 누워 잡념에 빠졌다가 어느새 잠이 들었나 보다. 어제 손님이 많아 고되었는지 일어나니 정오가 훨씬 넘었다. 대충 물세수만 하고 담배 피러 문을 나선다. 912호 문이 열려 있다. 지나가면서 슬쩍 보니 안은 비어 있었고 부동산 중개인과 집주인으로 보이는 두 사람이 얘기를 하고 있었다.

머리 속으로 몇 가지 생각이 스친다. 1층으로 내려가 급하게 한 대를 태우고 다시 들어오면서 혹시나 싶어서 편지함 쪽으로 간다. 접혀진 종이 한 장이 꽂혀 있다. 줄 노트 한 장을 찢어서 급하게 쓴 듯하다. 얼른 챙겨서 집으로 올라왔다. 협탁 위에 올려 두고 읽을지, 말지, 아니면 그냥 버릴까 고민했다.

몇 분이 흘렀을까? 무슨 말이 적혀 있든 받아들이기로 결정했다. 앞선 편지들을 개봉하기 전과는 다른 긴장감으로 글을 읽어 내려간다.

저, 이사 갑니다.
이 편지가 마지막이 되겠네요.

우편함에 넣고 가신 편지 때문에
짐 정리하는 것도 잊고 몇 시간을 공허한 채로 있었어요.
그래서 마지막으로 한 번만 보자고 하는
연락에 또 나갔나 봐요.
그러니까, 건물 앞에서 있었던 일은 서로 못 본 걸로 해요.

얼굴 맞대고 얘기하는 거 아니라고
저도 그동안 쓸 데 없는 말, 많이 담아 보냈네요.
기왕 쓸 데 없는 얘기 마지막으로 한 번만 더 하려고요.

라따뚜이...

그걸 제가 요리할, 아니, 먹을 수라도 있는 날이 올 지
잘 모르겠네요.
옛날 애니메이션 중에 '라따뚜이'라고 있어요.
좋은 작품인데요.
근데 저는 그게 왜 그렇게 슬펐는지 모르겠어요.

"Anyone can cook."

전설적인 셰프의 한 마디에 저 작은 생쥐 한 마리도
미슐랭 레스토랑에서 요리하는 꿈을 이뤄냈는데
나는 도대체 뭐하고 있나.

사실, 저는 하고 싶은게 많았어요.

나탈리 포트만을 어릴 때부터 좋아했는데
예쁘고 연기도 잘하고
5개국어까지 구사해서 엄청 멋있어 보였어요.
그래서 언어도 여러가지 다 배워봤는데
5개는 너무 어렵더라고요.
그 중에 영어 하나는 노력하면 잘할 수 있겠다 싶어서
정말 열심히 했어요.

영어를 어느 정도 하게 되면서 키가 170은 넘으니까
외국가서 아시안 모델을 해볼까도 싶었고요.
그래서 영국으로 무작정 떠났고 잠깐 살면서 넓은 세
상을 느끼고 여행 에세이 작가도 되고 싶었어요.

그런데 '라따뚜이' 같이 봤던 남친이 그러더라고요.

'하고 싶은게 너무 많으면, 아무것도 하지 않겠다'는
말과 같아.

저보다 공부도 잘하고 나이차이도 많이 나서
오빠말이 다 맞다고 믿었어요.
나보다 잘 알 테니까.

졸업을 2 학기나 유예한 상황이었는데
영국 어학 연수를 다녀왔고
영어는 좀 하니까 무역회사를 지원해보라고 했고,
남들처럼 스터디하고 면접보고 떨어지길 반복하다가
입사하고 그저 남들처럼 살았어요.

어느새 그렇게 스물 아홉이 되었더라고요.

아홉수니 삼재니, 하나도 안 믿었는데,
모든 것이 갑갑했어요.
서른 살쯤 되면 그래도
훨씬 괜찮은 삶을 지내고 있을 거라고
막연히 상상했거든요.

해가 갈수록 인간관계는 좁아지고
난 원래 밝고 수다를 좋아하는 사람이었는데
언젠가부터 말하기가 싫어졌고
남보다 특출나게 잘하는 것도 없고,
꿈도 없고, 취미도 없어요.

새벽에 퇴근하면 술 마시고,
일어나면 눈 떠서 가만히 있는 게 다예요.

꾸준히 내 의지로 한 건 연애밖에 없더라고요.
그 마저도 외로움을 느끼기 싫어서 남자 쪽에서
고백하면 그냥 만난 거였고요.
내가 뭘 좋아하는지 모르니 항상 남친들의 의견이
내 것이었던 것처럼 흘러갔어요.

내가 뭘 하고 싶어하는지 모르겠고,
어떻게 살아야 할 지 모르겠어요.

'꿈이 멀게 느껴진다.'라고 말하는 사람들이 부러워요.
최소한 꿈이 있다는 거니까.

영화에선 누구나 요리할 수 있겠지만
현실에선 꿈도 아무나 꾸는 게 아니니까.

그렇다고 누군가를 탓할 수도 없어요.
선택을 하지 않기로 선택한 것 또한 내 자신이니까.

그래서, 계약 만기도 다가오고,
이 참에 새로 고침을 하려고 했어요.
집도, 회사도, 사랑도, 꿈도.
내가 기대한 서른은 아니지만 오롯이 나만의,
나를 위한 선택을 하려구요.

그런 맥락에서 912호 님께도 편지를 남겼던 거 같아요.
말이 아닌 글이었기에, 낯선 이인 당신이었기에,
더 가릴 것 없이 털어놓을 수 있었어요.

덕분에 수다 떠는 내 모습도
잠깐이나마 다시 찾았습니다.

이렇게 하나씩 내 자신을 조각모음 해보려고요.
고마웠어요....
하시는 일 항상 잘 되시길...

*****

어느덧 한 해의 반이 지나 7월이 되었다.

비가 올 듯 말 듯 오지 않는 마른장마가 며칠째 이어졌다. 오늘은 초복이다. 초복엔 삼계탕 한 뚝배기 해야 되는데 먹으면서 땀 나는게 너무 싫다. 입맛도 떨어져서 쇼파에 슬라임처럼 축 늘어져 있다. 점심시간은 한참 전에 지났고 햇살이 TV 앞까지 길게 들어온다. 눈이 따가워서 겨우 몸을 일으킨다. 너무 빈 속이라 옆구리가 당기는 느낌마저 든다. 너무 뜨거운 삼계탕 대신 초계국수를 먹어야겠다.

우리 식당 근처에 있는 곰탕집으로 향한다. 주 메뉴는 당연히 곰탕인데 여름에 시즌메뉴로 개시하는 초계국수가 더 맛있다. 닭 가슴살로 다이어트 하다가 질리고 냄새에 치여서 그 뒤로 닭을 쳐다보지도 않았는데 이 집 초계 국수를 접하고 다시 닭고기를 입에 댔을 정도니까. 직접 생면을 만드시는 것 같고, 식초도 시큼한 맛만 강하지 않고 단맛도 은은하게 나서 집 나간 입맛도 되살아난다. 아직 살얼음이 약간 남은 국물까지 쭉 들이켜고 몇 미터 떨어진 가게로 향한다.

해가 많이 길어졌다. 6시에 맞춰 오픈을 했는데 한 테이블도 차지 않았다. 해가 완전히 져야 사람들이 한 둘 들어오겠지. 그래서 알바생이 20분 정도 지각한 것도 개의치 않았다. 여자친구랑 한바탕 하다가 일하러 가야해서 어찌 저찌 수습하고 뛰어왔다고 한다. 지금도 애가 반쯤 넋이 나간 것 같은데 오늘 접시 하나 안 깨면 다행일 것 같다. '톡을 해서 미안하다고 할까, 끝나고 집 앞에 찾아가볼까, 내가 뭘 잘못한건지 모르겠다…' 끊임없이 성토를 하는데, '여자 맘은 평생 알 수가 없을 거다.'고 대답해주면서 딱하기도 하고 내가 대학 때 연애했던 게 떠올라서 귀엽기도 했다. 자꾸 문자하고 찾아가기까지 하면 더 역효과만 날 수 있으니, 우선 너나 여자친구도 화를 가라앉힐 시간을 가지라며 진정을 시켰다.

'그러고보니, 이젠 찾아가지 않겠지?'

이사까지 했으니 따로 연락을 하지 않은 이상, 이제는 깔끔하게 서로가 서로를 정리했을 것이다.
그래야만 하고.

알바생 얘기를 들어주다가 불현듯 생각이 났다. 이번이 처음은 아니다. 그 날, 마지막 편지 이후 며칠은 민망함과 더불어 해명할 수 없다는 답답함에 괴롭기까지 했다. 딱히 해명할 것도 없었지만. 발단이 어쨌든 오랜만에 손편지도 쓰고 이웃사촌이 한 명 생기겠다는 기대에 들떴는데 마지막 장면이 그 따위가 되고 말았다.

드디어 첫 손님이 들어왔다. 몇 주 만에 떠올린 잡념은 가라 앉힌 채 일에 집중한다. 다행히 나도 알바생도 주문 실수나 식기를 망가뜨리는 일 없이 마지막 손님까지 서빙을 마쳤다. 마감은 혼자 하겠다고 말하고 일찍 알바생을 보냈다. 있어봐야 계속 걱정만 할 테니까. 나도 오늘은 혼자 좀 더 있고 싶었다.

밤이 되니 한결 낫다. 여전히 공기는 눅눅하지만 바람이 꽤 불어서 땀도 식었다. 오늘 같은 날은 찰리 푸스 노래가 제격인 것 같다. 가사는 뭐라고 하는지 모르겠지만 퇴근하는 새벽길에 잘 맞다. 리드미컬한 음악에 맞춰 걷다 보니 발걸음이 빨라져서 금방 집 앞에 도착했다.

문득 *912*호에 누가 새로 이사 왔나 궁금해졌다. 두 달 째 일부러 쳐다보지 않고 지나간 우편함 앞에 걸음을 멈췄다. *912*호를 보려고 하는데 아래칸 *905*호 우리집 우편함에 꽂힌 흰 봉투가 눈에 들어온다. 보낸 사람 이름도 없고 수취인에 내 이름도 없다. 처음 보는 주소인데, 연락이 뜸해진 옛 친구의 청첩장인가. 봉투 크기가 딱 그 정도이긴 하다. 아니면 그냥 두꺼운 카드나 엽서 같기도 한데. 홍보용 메시지는 아니길 바라면서 집으로 올라왔다. 봉투를 열어보니 노을을 배경으로 한 엽서가 들어있다. 넓은 강을 가로지르는 중세시대 풍 교각에 빛이 바랜 감청색 가로등, 다리 끝에는 작은 요트와 나무로 만든 흰 색 보트가 몇 대 정박해 있고, 다리 건너 언덕에는 능선을 따라 지어진 빨간 지붕의 집들까지. 전형적인 유럽의 풍경이다.

설마.... 바로 뒷 장의 엽서 내용을 읽어본다.

오랜만이에요.
벌써 저 잊으신 건 아니죠.

저는 한달간 혼자 여행을 하고 돌아왔습니다.
시차도, 새 집도 이제야 적응이 되었어요.

동유럽 쪽으로 여행을 떠나
버릴 것은 버리고 채울 것은 채우는 시간을 가졌습니다.

이국적인 풍경에 맛있는 음식 먹고 낯선 사람들도 만나면서
그동안 있었던 일, 지나간 인연들을 정리하는데
뜨문뜨문 905호 님 생각이 나더라고요.

참, 최근에 실버 버튼 되신 거, 축하드려요.
채널이름 '원룸 키친' 맞죠?

마라탕 먹으러 갈래요? 기념으로 제가 살게요.
매운 거 잘 못 드시니까 백탕도 잘하는 집으로 가서
한 번 도전해봐요.

010-7723-xxxx.
답장 기다릴게요.

– 912호 드림

# WRITER'S NOTE

## Q1. 태어나서 처음으로 끝까지 완성시킨 단편 소설이었는데?

단행본의 마지막을 제일 처음 완성했던 단편 소설로 마무리했다. 사실 이 마지막 단편 때문에 되고 작업 시간이 더 오래 걸렸다. 가장 처음에 썼던 글이라 오래 지나서 다시 마주치니 객관적으로 보게 되면서 단점이 너무 크게 보여 민망했다. 빨리 고쳐야 하는데 차일피일 미루게 되어 출판까지 시간 지체하게 만든 주요 요인 중 하나이기도 했다.

단편 소설 치고는 길이가 긴 편인데 그렇지 않아도 이 단편을 썼던 모임의 멘토가 나의 문체 자체가 단편보다는 중장편에 훨씬 잘 어울린다고 언급했던 적이 있다. 무엇이든 실제로 해보아야 안다고 소설은 정말 어렵게 느껴졌는데 그래도 고무적이었던 건 한 번 주요 인물과 사건만 생기면 화수분처럼 터져 나와서 해 뜨는 줄도 모르고 썼다. 그렇지만 이 단편 소설 모임 이후로 전체 프로그램에 글쓰기 수업이 다양하게 열리면서 희곡 및 시나리오도 써 보게 되었는데 겪어보니 확실히 여러 글쓰기 타입 중 소설이 가장 약하기는 했다.

연기를 꽤 오래 했다 보니 소설도 대본처럼 행동 지문이 많은 편이었다. 그런데 소설은 풍경, 누군가의 모양새, 내면 심리 묘사에 탁월한 사람이 유리한 영역이었다. 소설은 조금 더 친절한 관찰자이면서 차분한 전달자가 되어야 한다는 생각이 들었고 필자의 직업 성향과 성격과는 다소 맞지 않음을 느꼈다. 아마 앞으로도 희곡과 시나리오 위주로 쓸 것 같다. 그래서 다소 부족한 점이 많고 퇴고할 때도 합평 때 받았던 다수의 의견을 따라 소설 속 화자의 어린 시절 회상 장면은 과감하게 들어내려고 했으나 어차피 부족한 것이 많기 때문에 거칠지만 거칠 것 없이 써 내려갔던 처음 느낌 그대로 가기로 결정했다.

## *Q2. 이 글의 모티브와 레퍼런스는?*

소설 쓰기 모임 주제가 편지글 형식이었기 때문에 서신을 주고받는 것이 주요 사건이자 소재인 영화 몇 편을 보았다. 함께 본 첫 영화는 <시월애>였다. 그 영화에 순식간에 반해 버렸다. 사실 영화 플롯 자체는 별거 없지만 두 주연 배우의 비주얼과 바다 위에 지은 집 풍경과 특히 *OST*가 너무 잘 어울려서 계속 맴돌았다.

당시 <벌새>도 인상 깊게 봤는데 필자 또한 어린 시절 아파트 이웃사촌과의 추억이 많아서 도시의 삭막함 가운데 찾아온 따스한 사소함이나 의도치 않은 일탈 이야기를 좋아한다. 그리고 필자의 학창 시절은 일본 대중문화가 정점이었던 시기라 *J-POP*과 *J-DRAMA*를 *PMP*에 담아 보고 들으며 자랐다. 그래서인지 아직도 그 시절 일본 드라마의 도시 라이프 속 외딴섬 같은 이야기와 분위기에 너무나도 쉽게 마음을 내어주고야 만다.

그런데 요즘처럼 데이트 폭력 문제도 심각하고 약간의 진동소리에도 인터폰으로 시끄럽다고 연락이 오고 가족이 파편화되고 1인 가구가 많아지고 예전처럼 옆집에 누가 사는지도 모르는 세상에 이 이야기가 현실을 기반한 판타지 같아 보였다.

그런데 동생이 혼자 오피스텔에서 살며 고양이를 키우는 자기 친구 이야기를 해주었다. 매주 토요일마다 대청소를 하느라 현관문을 살짝 열어 두는데 우리 야옹 님은 당연히 대탈출을 하셨다. 그런데 마침 옆집도 고양이 집사였고 청소 중에 현관을 열어 두었는데 다행히 그 집 문으로 들어가서 찾았다고 한다. 알고 보니 직업도 같았고 이를 인연으로 본가를 가거나 여행 갈 때 교대로 고양이를 맡아주면서 친해졌다고 한다. 이 이야기를 접하고 나자, 내가 구상한 글이 아주 말이 안 되는 상황은 아니라 확신하고 <시월애>, <벌새> 그리고 일본 드라마 감성을 참고하여 마음껏 써 내려갔다.

## Q3. 캐릭터 설정은?

첫 만남에서 멘토가 50문 50답 종이를 모두에게 건넸다. 본인 또한 그냥 쓰라고 하면 막막하다며 주변 사람들을 본 떠 오기도 하지만 질문에 답을 하면서 성격과 살아온 배경 그리고 취향을 만들어 낸다고 했다. 멘토의 팁에 덧붙여, 필자는 비슷한 맥락에서 현재 유행하는 MBTI를 극작 및 연기 분석에 활용하기도 한다. 여기서 하나 문제는 당시 미션이 내가 쓴 것 말고 옆 사람의 것을 내 소설에 적용해야 한다는 것이었다. 그래서 캐릭터 설정이 더 어렵기도 했다.

우선 화자(905호)는 남자로 잡았는데 직업적으로 손을 많이 사용해서 섬세하고 미학적이며 손님 응대하다 보니 말도 곧잘 종알종알 대는 성격으로 크게 잡았다. 그렇게 해야 말로 풀기도 쉬웠고 여자(912호)와의 차이를 극명하게 두어 상대적으로 여자

쪽이 차가우면서 과묵해 보일 수 있었다. 그리고 필자의 주변에 있는 남성들이 아버지를 비롯하여 친한 남사친들까지 참 소녀 같으면서 조심스럽고 섬세한 사람들이 많다. 그래서 친한 남자 사람들의 수다스러움, 의외의 소심함과 자주 토라짐을 떠올리며 화자를 그려 나갔다.

외관상으로 남자는 키가 좀 많이 크면서 소위 말하는 대형견, 인간 골든 레트리버 느낌, 여자 역시 키가 크고 늘씬하며 도회적이어야 한다. 스물아홉의 나이에 이미 삶에 지친 모습도 느껴지면서 이목구비가 뚜렷한 예쁜 얼굴보다는 매력적인 분위기가 압도적인 사람이다.

## *Q4.* 다른 콘텐츠로의 활용 및 변용 가능성?

일본 드라마 느낌을 많이 차용했기 때문에 에피소드를 조금 더 늘릴 수 있다면 웹 드라마로의 활용 가능성이 매우 높다고 생각한다. 물론 중반부에 남자의 어린 시절 이야기를 과감하게 들어낸다면 20분 넘지 않는 선에서 단편 영화로도 제작이 가능할 것 같다.

연출적으로 보자면 남자의 시선으로 이야기가 진행되고 있는데 레퍼런스로 삼았던 <시월애>처럼 남녀 교차 진행이 화면으로 옮겼을 때 친절한 전개가 가능하고 특히 드라마나 웹드로 만들 때 더욱 적절할 것으로 보인다.

이젠,
당신의
이야기가
되었습니다...

짧으면 짧고 길다면 긴
세 가지 이야기가 모두 끝났습니다.

길고 답답했던 코로나 시대에
무엇이라도 해야만 살 수 있는
연기쟁이의 삶을 이어가기 위해
글쟁이와 제작자로서의 모습도
부단히 만들어 가려고 하는
보잘것없는 날갯짓을
봐주셔서 감사합니다.

아마 이 책을 구입한 당신도
어쩌면 나와 비슷한 꿈을 꾸고 있거나
독특한 장르를 찾다가 마주치게 되었을 텐데
나의 이야기가 당신의 이야기에
미약하나마 신선한 자극이나 보탬이
되었길 바랍니다.

아직 쓰고 싶은 이야기가 많은데
다음 편에서 또 만날 수 있기를......
*2022년 가을*

어쩌면, 당신의 이야기 2022
단편 모음집 1
© 김예연

발행일 2022년 09월 22일
지은이 김예연
편 집 김예연

이메일 ceciii90@naver.com
유튜브 세실리아 다이어리
인스타그램 @yeayeon_cecilia

발행처 인디펍
발행인 민승원
출판등록 2019년 01월 28일 제2019-8호
전자우편 cs@indiepub.kr
대표전화 070-8848-8004
팩스 0303-3444-7982

정가 9,900원
ISBN 979-11-6756458-0 (03810)